文字植物園

福爾摩斯
新探案

文／林世仁・圖／卓昆峰、Mr. B、PiPi

福爾摩斯新探案

Mr. B 繪

福爾摩莎發生了大竊案！

福爾摩斯立刻坐著時光機，前來辦案。

被偷的是卓蘭鎮價值百萬的極品蘭花。

小偷不但在現場留下名字──植物大盜，還留下一封信。

「哼，又是植物大盜！」警察卓布道

拿起信，皺起眉頭。

「他太囂張了，每次都留下線索，暗示我們下次犯案的時間、地點和要偷的東西。可惜我們每次都猜不出、捉不到！」

8

「放心，這次有我呢！」福爾摩斯接過信，抽出信紙，看見兩個字：「臘月」。

「臘月？一月到十二月，哪來的臘月？」福爾摩斯想了想，抽了一口雪茄。「哈，我知道了！植物大盜是外星人。」

「不不，臘月是指十二月。」卓布道說：「我們的老祖宗喜歡替月分取不同的名字。譬如說，用植物來命名二月是杏月，三月是桃月……」

「哈，」福爾摩斯一拍手：「我知道了！他想在十二月再偷一次。」他翻過信紙，發現背後還有字，而且寫得密密麻麻：

樹林　宜蘭　新竹　芎林

楊梅　桃園　蘆竹　苑裡　梧棲

芳園　花壇　竹塘　芳苑　草屯　竹山

梅山　鹿草　大林　麥寮　莿桐　水林　麻豆　柳營　路竹　阿蓮　林園

鳥松　大樹　杉林　桃源　茂林　茄萣　高樹　竹田　林邊　新園　牡丹　蘭嶼

「偷竊清單！」福爾摩斯搖搖頭：「想不到他想偷這麼多植物？」

「不不，」卓布道也跟著搖頭：「這些不是植物，是跟植物有關的臺灣地名。」

「地名？」福爾摩斯又抽了一口雪茄：「哈，植物大盜在跟我們玩猜謎！他會在這些縣市中，挑一個下手。」哪一個呢？

福爾摩斯開始用猜謎法、密碼法、加減乘除法、比較文學法、

相對論、酸鹼值⋯⋯反覆研究，找出三十八種可能。「我說啊⋯⋯」

「等一等，」卓布道對照信封背面的郵遞區號一覽表，忽然說：「植物大盜怎麼漏掉了一個大縣市——花蓮？」

「哈！」福爾摩斯一拍手：「原來是用『消去法』！把不去的地方都列出來。他真正想去的地方是花蓮！」

「花蓮，十二月。那他想偷什麼植物？」

福爾摩斯把信封翻過來、翻過去，用火烤，用水浸⋯⋯卻沒看到任何線索。「怪怪，植物大盜這次居然忘了寫要偷的東西。」

福爾摩斯搖搖頭：

「沒關係，我一樣有辦法。快，給我所有的植物名單！」

卓布道立刻從電腦上下載了一堆名單。

「天堂鳥、火鶴、過山龍、倒地蜈蚣……」福爾摩斯皺起眉頭：

「咦，我要植物名單，怎麼給我動物名單？」

「不，這些都是植物。」

「……茶蝴蝶、龍眼、虞美人、水仙、仙人掌。哇，太有趣了，還有沒有？」

「植物？」福爾摩斯眼睛亮了起來，

「有啊！」卓布道又印了幾張資料：「滿天星、海帶、水筆仔、棋盤腳、五月雪、烏心石……這些都是植物。怎麼，植物大盜想

偷它們？」

「不，」福爾摩斯吸了一口雪茄：「是我自己想要。我想把它們都種在我的花園裡。哈，真有趣，光看名字根本不知道是植物呢！」

「植物大盜……」卓布道提醒他。

「呃，植物大盜！對，植物大盜……」

「啊，我知道了！」卓布道大叫一聲……

「他要偷的是世界上第一朵複製蓮花！這個新品種正在花蓮展出。」

法、密碼法、加減乘除法、比較文學法……福爾摩斯又開始用猜謎

警察立刻趕到

花蓮，果然抓到了植物大盜。

「咦，你怎麼知道他要偷的是蓮花？」福爾摩斯好奇的問。

「因為他留下了線索啊！」卓布道眨眨眼。

「線索？哪裡有？」

「有——」卓布道微微笑：「花蓮——花？蓮！」

「哇，太聰明了！」福爾摩斯好佩服：「請⋯⋯你是用什麼方法？交叉比對法？還是⋯⋯」

「我也不知道。」第一次捉到小偷的卓布道笑笑說：「對了，忘了告訴你，我改名字了。從今天開始，我叫——卓得道！」

福（ㄈㄨˊ）爾（ㄦˇ）摩（ㄇㄛˊ）斯（ㄙ）新（ㄒㄧㄣ）探（ㄊㄢˋ）案（ㄢˋ）

值日生：卓布道

＊小偵探大顯神通

請找出不是植物的字詞：

桂竹　水仙

馬拉松

紅豆　仙人掌

水筆仔　滿天星

答案：馬拉松

15

小浮萍與世界爺

卓昆峰 繪

春天裡，一朵小浮萍離開家，去找世界爺。

大王椰子說：「世界爺是世界上最高大的植物耶！」

「有沒有搞錯？」

「對啊，而在會開花的植物中，最小的……」豬籠草的眉毛差點打結：「就是浮萍。」

「小浮萍去找世界爺幹什麼？」

雞冠花問：「不怕自卑嗎？」

「誰知道他葫蘆裡賣的是什麼藥？」

馬纓丹說：「世界爺住那麼遠，傻瓜才

會想去找他。」

「哎，青菜蘿蔔，各有所愛。小浮萍愛

去自找苦吃，誰管得著？」玫瑰說。

「一枝草一點露，老天會保佑小浮萍的。」幸運草

小聲說。

遠遠的，小浮萍順著小溪，越過了好幾座山。

「你猜，世界爺會不會接見小浮萍？」雞冠花問。

「小浮萍算哪根蔥？」大王椰子哼了一聲：「世界爺會理他？門都沒有！」

「你們不要吃不到葡萄說葡萄酸！」

幸運草說：「小浮萍一定會成功的。」

「你沒聽過薑是老的辣？我們說的不會錯！」

「小夥子，你懂什麼？」豬籠草說：

「對，我們……」玫瑰剛開口，就被小玫瑰打斷：

「媽媽，我身上一定要長刺嗎？」

「真囉嗦！」玫瑰一下忘了自己要說什麼，

氣得罵小玫瑰：「媽媽長得什麼樣，你依樣畫葫蘆

就對了，問什麼問！」

遠遠的，小浮萍順著大河，流進了大海。

「小浮萍怎麼這麼久還沒回來？」

幸運草擔心的問。

「還用問？不是迷路了，」馬纓丹說：

「就是沒臉回來！」

「世界爺離這裡十萬八千里遠，

他想走到？哼，除非鐵樹開花。」雞冠花說。

「不是我老王賣瓜，自賣自誇，這座山就數我最高大。」大王椰子說：「小浮萍想看巨人何必捨近求遠？」

「哈，說不定是小浮萍『眼睛花花，瓠仔看作菜瓜』，」半路上就把檳榔樹看成了世界爺，哈哈哈！」豬籠草大笑。

鳥載他飛上山。

遠遠的，小浮萍乘著浪花到了海的另一邊，一隻百靈

「我看啊，小浮萍現在一定後悔死了！」雞冠花說。

大王椰子搖搖頭。「哎，人都會犯錯，哪有吃燒餅

不掉芝麻的？」

「所以囉，我們心裡一旦有什麼瘋狂的點子，一定要快刀斬亂麻，立刻拋掉它！」

豬籠草說。

「對！不然，像小浮萍……

哎，太不值得了！」馬纓丹說。

幸運草沒說話，他在幫小浮萍祈禱。

遠遠的，小浮萍和世界爺在山坡上，一塊兒吹晚風、看夕陽。

「你真的好高大喔！」小浮萍說：

「跟傳說中的一模一樣。真高興認識你！」

「小浮萍，我也很高興認識你！」

世界爺笑一笑：「不過，你大老遠主動跑來看我，我們可不算

『萍水相逢』喔，呵呵呵！」

22

小浮萍與世界爺

*世界植物大觀

你認識小浮萍和世界爺嗎？
讓我們一起來看看他們的小檔案：

*世界爺：又叫做紅杉，是世界上最高的樹，可以長到一百多公尺，住在美洲、歐洲和東亞地區。

*小浮萍：故事裡的小浮萍是無根浮萍，它是開花植物中最小的，只有零點三公厘那麼大，住在全世界各個角落。

植物要搬家

卓昆峰 繪

天空上，東方區，

天庭部，編號第三〇三號的

辦公室，一大早就傳來

「叩叩叩！」的敲門聲。

正在埋首創造織女星文字的倉頡，

只好放下五彩筆去開門。

門一開，立刻湧進一群植物。

「倉頡，我們需要你的幫忙！」

「幫忙？幫什麼忙？」倉頡一頭霧水。

24

「把我們從人的字典裡刪掉！」帶頭的樹說。

「對，人有『物種歧視』，不尊重我們。」

我們不想跟人住在一起了！

「我們要集體搬家！太陽系最近發現了一顆新行星，我們要搬去那裡。」花和草齊聲說。

小竹筍往外一指。果然，門外的白雲上，停著一架超大的太空梭，上頭寫著大大的字：

永別地球不回頭號

「等等，」倉頡這下明白了，事情好像還挺嚴重的呢。

「你們為什麼說人不尊重你們？」

25

「哼，人太壞了！老愛把壞事情賴到我們頭上。」槐樹說：「人不敢指名道姓罵別人，卻愛指桑罵槐。」

「人自己不謙虛，倒楣了，卻怪說樹大招風。」榕樹說。

「對嘛！人自己做壞事遭到報應，卻要說自食其果。真是吃果子不拜樹頭！」芒果樹氣得臉紅紅。

哇，每棵樹都好生氣！

倉頡連忙幫大家消氣：「可是，人也會說樹的好話啊！例如，讚美人風采迷人就說玉樹臨風；老師教學生，更是百年樹人的偉大工作呢。」

文章、書法寫得好，就說入木三分；

哦?是這樣嗎?

草不服氣:「那人幹嘛要殺得我們寸草不留、斬草除根?

一打仗動不動就草木皆兵?做事馬虎就說是草草了事?」

「對對對!」花也抗議:「人最愛移花接木,

又誣賴我們花天酒地!

把錯都推給我們,又說哄騙人的話是花言巧語,

「對對對!」花也抗議:「人最愛移花接木,

又誣賴我們花天酒地!」

「人對花草也很好啊。」倉頡趕緊翻開

成語辭典:「看!鶯飛草長、疾風知勁草,

這都是好話喔……讚美好女孩,就說蕙質蘭心;

會說話的人是舌粲蓮花;事情有了轉機是

柳暗花明;花前月下是最浪漫的地方。

其他還有春暖花開、花團錦簇等好話呢！」

咦，好像還不壞嘛。

小竹筍說：「哼，人就只會砍竹子！」

連事情進展得很順利，也要說是勢如破竹。

「不不，人很喜歡竹子呢！做事心裡有把握是胸有成竹；從小一塊長大的好朋友是青梅竹馬。

哦？原來人並不討厭竹子。

倉頡對大家說：「其實啊，人是太喜歡你們了，才會什麼事情都想到你們。」

「真的？」

「當然囉！」倉頡點點頭：「不然，為什麼好朋友要說是金蘭之交？讚美人能堅持、有骨氣是松柏後凋？還用瓜瓞綿綿來祝福人多子多孫呢？」

哎呀，原來我們錯怪人家了！植物有些不好意思，他們都想回去地球。（不然人多寂寞啊！）

「可是……」小竹筍指指外面：「太空梭的名字怎麼辦？」

對啊，怎麼辦？字都寫上去了。

「沒問題！看我的。」倉頡走過去，大筆一揮，加了兩個標點符號。

植物一看，太空梭的名字變成了——

永別地球？不！回頭號

倉頡說：「好了，你們先去新行星玩一玩吧。玩完了，記得要回地球喔！」

「是！遵命。」所有植物都高興得跳起來。

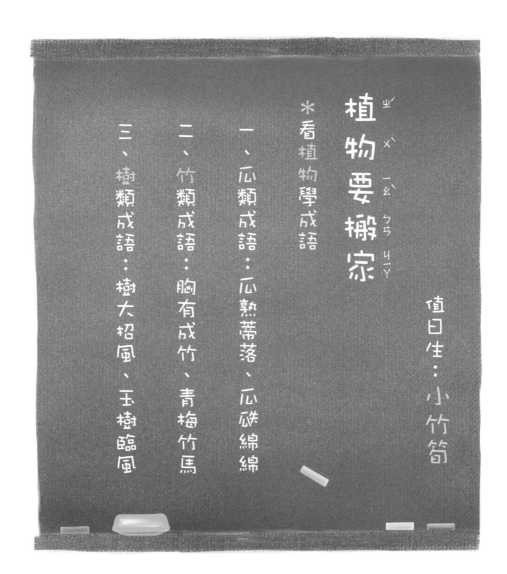

植物（ㄓˊ ㄨˋ）要搬家

＊看植物學成語

一、瓜類成語：瓜熟蒂落、瓜瓞綿綿

二、竹類成語：胸有成竹、青梅竹馬

三、樹類成語：樹大招風、玉樹臨風

值日生：小竹筍

沙漠裡的春天

Mr. B 繪

八月桂花香，有多香？月亮最清楚。

每年八月十五日，月亮上的桂花樹（沒錯，就是吳剛一直砍不倒的那棵樹）就開滿了花。

月亮一聞到花香，就在天空上笑得好圓好亮。

沾滿桂花香的月光，從東照到西，灑下微笑的光芒。

月亮走啊走，照到沙漠，微笑的臉忽然僵住了。

「哎……這裡真可憐，沒有花，也沒有春天。」

月光下，有一個小黑影開著車走進沙漠，

車上載滿了小樹苗。

那是小漢子，他想在沙漠裡種楊柳。

「等楊柳樹長高、長大，風一吹，春天就會來。」

城裡人都笑他：「在沙漠裡種楊柳？哈哈哈，

別傻了！」小漢子可不管。

他拿起鋤頭往下挖，沙漠揚起一片黃沙。

黃沙在空中捲起一陣風，凝聚成一個聲音。

「可惡！是誰敲到我的腳趾頭？」糟糕，是沙漠巨人！

小漢子一點也不害怕。

「我在找泉眼。你知道

它在哪裡嗎？」

只要找到泉眼，把樹苗種在地下水經過的地方，楊柳就能長得又高又大。

「泉眼？」可怕的大笑起來：「我知道也不告訴你。」

「那我只好自己找囉。」小漢子舉起鋤頭

繼續挖，東挖挖，西挖挖。

「哎喲，你敲到我的膝蓋啦！」

「哇，我的腰！」

「停停停──嗚，我的耳朵！」沙漠巨人趕緊現身。

他一邊揉著左邊耳朵一邊說：

「好好好，算我怕了你。」

「這樣吧，我們來猜謎。」

沙漠巨人又揉揉右邊耳朵：「如果你猜中我的

謎語，我就告訴你泉眼在哪裡。」

「好啊！」

沙漠巨人說：「聽好了，第一題，佛手。

第二題，白天不芬芳。第三題，五十加五十。

各猜一種花名。」

小漢子想了半天想不出來。

「哈哈，不會吧？」

沙漠巨人鬆了一口氣：「你輸了，快回去。」

「等一等，」小漢子說：「我忘了把我

的頭腦拿出來，當然沒法猜。」

小漢子從車上拿出一個長方形的黑盒子，打開，按下開關。「這是什麼？」沙漠巨人問。

「我的頭腦啊——我叫它電腦。」

小漢子連上網路，開始搜尋謎語。

「有了！聽好喔……」小漢子說：「佛手——仙人掌，白天不芬芳——夜來香，五十加五十——百合花。

怎麼樣？可以告訴我泉眼在哪裡了吧？」

「不算不算，」沙漠巨人想要賴：

「換你出題，我猜不出來才算。」

「好，我想一想。」小漢子又在網路上找。

「有了！第一題，前面是草地。第二題，接著來了一群羊。第三題，最後來了一群狼。

各猜一種植物。」

「草地……羊……狼……？」

沙漠巨人想來想去，想不出來，最後只好投降。

「答案是什麼？」

「前面是草地——梅花（沒花）；接著來了一群羊——草莓（草沒）；最後又來了一群狼——楊梅（羊沒）。」

「哇，好厲害！」沙漠巨人看著電腦，又害怕又羨慕……

如果我也有這麼棒的頭腦就好了！

沙漠巨人指出泉眼的位置。

小漢子高高興興的種下一排柳樹苗。

一個月、兩個月……好幾個月過去了。

楊柳長得又高又大，

細細長長的枝條綠油油。

風一吹，春天就來了。春天裡，

沒有桂花香，月亮在

天空上，一樣笑得

好開心。

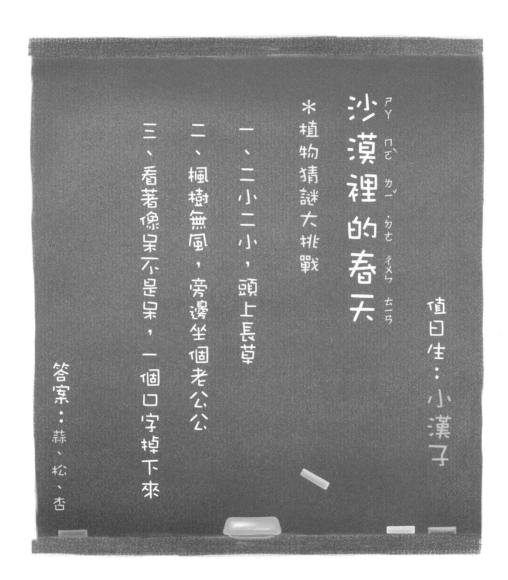

沙漠裡的春天
ㄕㄚ ㄇㄛˋ ㄌㄧˇ ˙ㄉㄜ ㄔㄨㄣ ㄊㄧㄢ

值日生：小漢子

＊植物猜謎大挑戰

一、二小二小，頭上長草

二、楓樹無風，旁邊坐個老公公

三、看著像呆不是呆，一個口字掉下來

答案：蒜、松、杏

植物桃花源

卓昆峰 繪

有一個樵夫上山砍柴，在小溪邊洗臉，一不小心，

斧頭掉進水裡，被溪水沖走了。樵夫慌忙追著溪水，想撿回斧頭，

沒想到腳底一滑，「撲通！」一聲，也掉進溪裡。

小溪彎彎曲曲，繞過山谷，轉過山壁，嘩啦啦流進一道夾縫

裡。樵夫浮浮沈沈，吃了好幾口水……也不知道過了多久，上頭忽

然灑下一片亮光，水流變緩。樵夫鑽出水面，爬上岸，一邊喘氣一

邊睜大了眼睛。哇，好漂亮的地方啊！滿山都是桃花，天空藍得好

像剛剛擦過，風吹過來，清涼涼，有春天的味道。

「客人好！」一株迎客松走過來。樵夫嚇了一跳。

一棵會說話的松樹？

「歡迎光臨！」滿山的桃花忽然

唱起歌，跳起舞。

樵夫驚訝的站起來，又蹲下去，

「哎喲！」他的左腳骨折了。

「我來幫你。」接骨木立刻過來，

「喀啦啦」幫他接好骨。

哇！植物這麼屬害？

樵夫抬頭一看，一朵太陽花在天空上對他眨眨眼，散發出光和熱。

天啊，這是什麼地方？怎麼植物個個會動、會說話？

迎客松順著樵夫的目光，看看天空。

「喔，到了夜晚，就換星辰花在天空上值班。」

「喵！我們不應該幫他。」貓臉花走過來。「他是人耶，喵！」

蛇木也爬過來：「對，要不要我咬他一口？」

「阿彌陀佛！」觀音竹雙手合十，「遠來是客，而且，他看起

來不像壞人。

「對對，我不是壞人。」樵夫趕緊點頭。

「吱喳喳！村長要見他。」雀榕飛過來報告。

拖鞋蘭一鞠躬，蹲下來：「請穿拖鞋。」樵夫嚇一跳，他哪好意思踩在他們身上？「沒關係，」拖鞋蘭說：「我們是大力士！

連大象也扛得動。」

兩隻腳就自動動了起來。

樵夫穿上拖鞋蘭，哇，果然不用走，

「走，去找村長。」

旅人蕉在前頭帶路。

一路上，植物都好奇的盯著樵夫，指指點點。

蝴蝶蘭飛來飛去：「看，那就是人耶！」

飛燕草邊飛邊笑：「哈哈，長得好好笑喔！」

「叭叭叭！到了到了！」喇叭花大聲說。

一株老人參微笑的站在前頭，看著樵夫。

「餓了嗎？」他打了個手勢，牛奶榕立刻倒出

一杯牛奶，麵包樹從身上摘下幾片麵包，雞蛋花也「捐獻」了幾顆

雞蛋。老人參耐心等著樵夫吃完。「吃飽了？」

「那你可以回去了。」

「嗯。」樵夫擦擦嘴。

什麼？村長召見他，不是歡迎他，是想趕他走？

樵夫不明白。

「你不能留在這裡。」老人參說：「事實上，我們的老祖宗就是為了躲避人，才藏到這裡。你們的老祖宗發明了科學，趕跑了神話，又說我們不會動，造了花盆，想把我們關在盆子裡。我們的老祖宗不想過那種生活，於是躲到這裡。這一躲，就好幾千年。」

「可是……我想待在這裡。」樵夫好想看看這個新世界。

老人參搖搖頭：「我們已經是兩個不同的世界了——我只希望，你在你們的世界裡，能善待我們的同伴。」老人參把斧頭還給樵夫。

鳳凰木張開翅膀，載著樵夫飛回溪邊……

陽光好舒服喔！

樵夫睜開眼睛。咦，我怎麼會在這裡？樵夫拍拍頭，想不起來。他坐起身，看見斧頭旁邊有一朵桃花。啊，好美！他拾起花，放在胸口，站起來，拍拍屁股，沒拿斧頭，下山了。

植物桃花源（ㄓㄨˊ ㄊㄠˊ ㄏㄨㄚ ㄩㄢˊ）

＊班級小花園

小花園裡種了很多奇怪的植物，
請說說看它們的特徵：

一、貓臉花

二、拖鞋蘭

三、旅人蕉

四、雞蛋花

值日生：樵夫

47

盜仙草

卓昆峰 繪

老婆婆生病了，她的女兒枇杷姐和櫻桃妹問她想吃什麼？

「我……想……想吃……仙草……」

老婆婆邊咳邊說。

哎，媽媽的病太重了！

只有仙草能救。

為了媽媽，兩姐妹決定上仙山，盜仙草。

到仙山的路可不好走，要先經過向日葵海、葫蘆溪和白千層山。

枇杷姐姐和櫻桃妹妹走到向日葵海，哇，海水是由

向日葵花瓣組成的，漂漂蕩蕩，好美麗。

一位木頭人搖著香蕉船，靠在岸邊。

「木頭人，你可以載我們過海嗎？」

「你們是瓜子嗎？」木頭人問。

「只有瓜子才可以過向日葵海。」

葵瓜子、香瓜子、黑瓜子、白瓜子、

五香瓜子、醬油瓜子……什麼瓜子都行。」

枇杷姐姐趕緊點頭，說：「我是瓜子臉！」

櫻桃妹妹的臉圓圓胖胖，怎麼辦？

還好櫻桃妹妹很聰明。她說：

「我不是瓜子臉，但我有腦袋瓜子！」

哦？這倒稀奇。木頭人一邊載

兩人過海，一邊抓抓腦袋。他還是

第一次遇見這麼奇怪的瓜子姐妹！

葫蘆溪的溪水又急又冰，想過溪，

只有一座橋。可是橋頭站著三隻動物，

他們大聲吵架，誰也不讓過。

中國龍說梅花最美，印度牛說蓮花最美。

他們要兩姐妹評一評，哪朵花最美？

枇杷姐拿起三朵花，聞一聞，笑一笑，她哪裡知道？

「三朵花都不美。」櫻桃妹說：「人比花嬌，

此時此刻，我們姐妹花最美！」

日本河童、中國龍和印度牛聽了全都愣住了……然後，

他們哈哈大笑，手牽手，大笑著踏上橋，走過溪。

兩姐妹趕緊跟著走過溪。

白千層山高又高，山壁又陡又直，根本爬不上去。

怎麼辦？兩姐妹心亂如麻。

還好一位老樹精要上山，兩姐妹趕緊求他載一程。

老樹精說：「你們用『天花』造句，要三個句子，

意思不能重複。想得出來，我就幫忙。」

枇杷姐功課不好，想了半天才說：

「天女散花……」

「錯！」老樹精搖搖頭：「你們回去吧。」

老樹精搖搖頭：「她沒長天花。你說話天花亂墜。」

櫻桃妹趕緊指著姐姐說：

我們家有天花板。」

「咦？不錯嘛！」老樹精點點頭，露出笑容，載兩姐妹上山。

仙山上，鶴仙童和鹿仙童在看守仙草。

他們在互相猜謎。

鶴仙童說：「什麼水果裡藏星星？什麼水果裡藏帽子？」

鹿仙童說：「楊桃切開，看見星星；剝開柚子，做頂帽子。」

櫻桃妹妹躲在暗處，忽然開口問：「什麼風，聲音大，吹來不會涼？什麼蜻蜓會飛，不會吃東西？」

「我先猜！」「我先猜！」兩個仙童搶著猜，結果一題也沒猜對。

「你真是大草包，猜也猜不對！」鶴仙童罵鹿仙童。

「你才是傻瓜笨瓜大呆瓜！黃瓜西瓜大冬瓜！」鹿仙童也罵鶴仙童。

他們都搶著去搬救兵。一個去查謎語大全，一個去問南極仙翁。

兩姐妹趁機溜出來，摘仙草。

櫻桃妹眨眨眼說：「嘻嘻，麥克風聲音大，

吹來不會涼。竹蜻蜓會飛，不會吃東西。」

兩姐妹帶著仙草，花了三天三夜，

歷經千辛萬苦，才又回到家。

老婆婆「劈哩啪啦！」痛罵一頓。

誰知道，她們一進門，就被

「臭丫頭，媽媽感冒你們

還溜出去玩？買一碗仙草也要去這麼久？」

老婆婆氣呼呼的說：「巷口不就有賣？

一碗二十塊！」

54

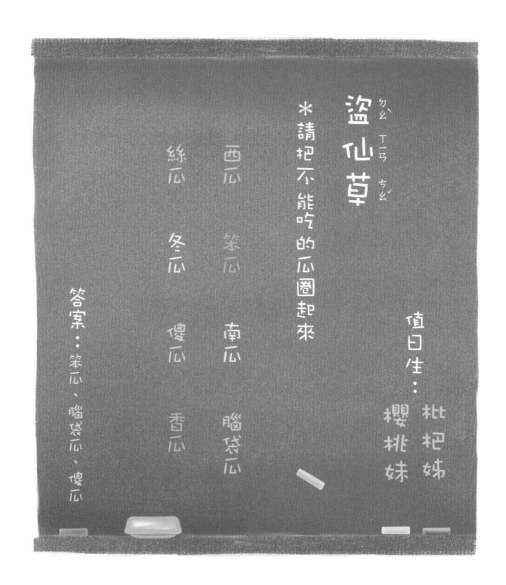

盜仙草（ㄉㄠˋ ㄒㄧㄢ ㄘㄠˇ）

＊請把不能吃的瓜圈起來

西瓜　笨瓜　南瓜　腦袋瓜

絲瓜　冬瓜　傻瓜　香瓜

值日生⋯枇杷姊　櫻桃妹

答案⋯笨瓜、腦袋瓜、傻瓜

花花公子的花花事件

卓昆峰　繪

海芋是花，紫丁香是花，香水百合也是花，但是花花公子不是花。

花花公子不是花，心卻很花。

他愛亂花錢，愛花天酒地，更愛用花言巧語去騙女生。被他騙過的女生一個接一個，都躲在家裡偷偷掉眼淚，哭花了臉。報紙、週刊和電視的花邊新聞，天天都少不了他。

有一天，花花公子到海邊玩。他一下海，浪花就把他打回岸上。

不論他用蛙式、蝶式、自由式或仰式，浪花都把他推回岸上。

花花公子只好放棄游泳，在沙灘上晒太陽。誰知道，浪花卻跑上來，潑了他一身溼。

花花公子回到餐廳，剛坐下，花瓶就掉下來，割破他的手。

「奇怪，今天是怎麼回事？」怎麼東西都聯合起來欺負他？

餐桌上的花椒忽然開口說：「哼，你太花心了！

不但敗壞了花的名聲，也讓我們這些名字有『花』的丟臉。

今天，我們要聯合起來，給你一個教訓！」

說完就跳上花花公子的鼻子，害他猛打噴嚏。

花花公子打開皮夾，花花綠綠的鈔票立刻被風吹走。

他跑進巷子，發現花貓早就排好隊，「喵喵喵！」

他跑上街，一抬頭，雪花立刻飄下來，把他凍成雪人。

他跑到公園，馬上踢到花崗岩……差點抓了他一臉花。

哇，這樣下去還得了？

花花公子嚇壞了！趕緊避開所有跟花字有關的東西。

花圃？不去。

花店？繞道。

花車？快閃。

花燈？不碰。

花茶？不喝。

花露水？不買。

花生？豆花？爆米花？統統不吃。

花轎？好險現代沒有人用！

花花公子眼觀四面，耳聽八方，

一瞧見花童或是長天花、

麻花臉的人，立刻躲開。

59

呼，一下午都平安無事。

花花公子暗暗有些得意。「哈，看你們還能玩什麼花樣？」

遠遠的，一位少女花枝招展的走過來，

花花公子忍不住又迎上前去……

「啪！」少女甩了他一巴掌。

「你……你……也跟花有關？」

「當然！你沒看到我穿花襯衫？」

「你……你……也跟花有關？」

裙子花色這麼多？」少女眉頭

一揚：「人家我還是花樣年華，

十八姑娘一朵花！」

一位老先生走過來，「啪！」也給了他一巴掌。

「你幹嘛打我？」花花公子被打得眼花撩亂。

「沒辦法，我戴的是老花眼鏡。」

一位老婆婆走過來，把他踢了個屁股開花。

「你……你跟花又沒關係，幹嘛踢我？」

「誰說沒關係？」老婆婆瞪了他一眼：「我是花腔女高音。」

哇，待在戶外太可怕了！花花公子趕緊逃回家，爬上床。

這下應該沒事了吧？

錯！天花板忽然掉下來，砸得他哇哇叫，小白臉一下變成了大花臉。

「天啊，這是什麼世界？」

他才說完，世界就立刻現身，賞了他一巴掌。

「怎麼連你也打我？」花花公子嚇傻了。

「沒辦法，」世界聳聳肩：

「誰教我是『花花世界』！」

「嗚……」花花公子放聲大哭，

哭了好久好久。

終於，他低下頭，

誠心誠意的說：「我錯了，

我以後再也不敢花心啦！」

「耶！」全世界的花

都開心的幫他拍拍手。

62

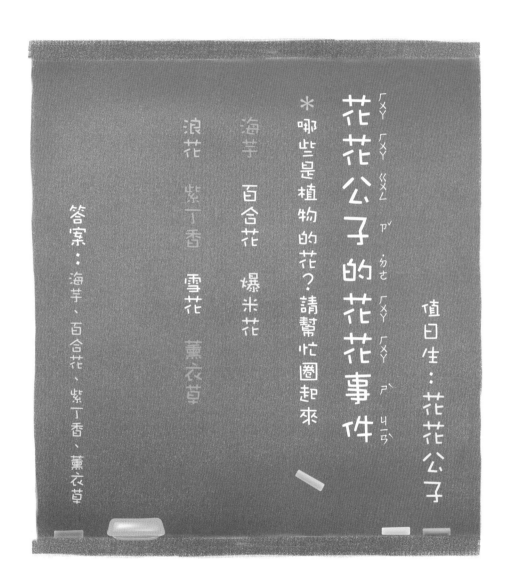

花花公子的花花事件

＊哪些是植物的花？請幫忙圈起來

海芋　百合花　爆米花

浪花　紫丁香　雪花　薰衣草

答案：海芋、百合花、紫丁香、薰衣草

值日生⋯花花公子

誰是外來植物？

PiPi 繪

天空上，西方區，天堂部，編號第〇〇一號的辦公室，一大早就鬧哄哄。

一群植物擠在上帝的辦公桌前抗議。

「我在臺灣住了好久，卻拿不到臺灣的身分證。」波斯菊用波斯話說。

「我也是！」非洲菊用非洲話說。

「我也是！」印度紫檀說著印度話。

「我也是！」昭和草說著日本話。

「不公平！」「不公平！」……西洋梨、非洲紫羅蘭、

馬拉巴栗、尤加利樹等都舉手抗議。

上帝的辦公室像小小的聯合國，一下子被各國語言塞滿了。

「等一等，」上帝說：「我打個電話給臺灣的境管局官員，

請他一塊兒來處理。」

上帝拿起手機，撥通電話。沒一會兒，手機螢幕上就

出現了一個人影，臺灣境管局的最高主管——土地公。

65

上帝把視訊手機放大，好讓大家都能看清楚，聽明白。

「土地公，這些植物都在臺灣住了好一陣子，他們想當臺灣的公民。可以嗎？」

「他們是外來植物，名額有限。」土地公有些為難：

「種族歧視！」非洲欖仁樹用非洲話說。

「歧視！歧視！」從澳洲來的白千層大聲抗議。

「不然這樣吧，」土地公可不想讓別人覺得自己不民主：

「這是我爺爺的爺爺的爺爺定下來的規矩。」

「你們說說看，只要有一個好理由，我就考慮。」

「我們胡字輩的最早到，是第一代移民！」

胡椒說：「你們的老祖宗早就把我們當成老朋友、

好朋友了！」胡瓜、胡桃紛紛點頭。

「我們番字輩的也是老資格！」

番薯說：「我在臺灣還有個俗名叫地瓜，

小朋友都愛吃烤地瓜。」

「對！」番石榴說：「我一到臺灣，

大家就叫我芭樂，人人都愛吃。」

番茄說：「我不但有營養，

還帶來一句西洋

俗語──番茄紅了，

醫生的臉就綠了！」

「還有我！」茉莉花說：

「我最受歡迎了，人們為我寫的
『茉莉花』早就成了好聽的民謠！」

「家庭主婦做菜少不了我！」
洋蔥說。

「我們是漂亮的行道樹，公園、學校也
喜歡我們。」洋紫荊和菩提樹說。

康乃馨說：「母親節一到，我們是媽媽
最愛的花朵！」

聖誕紅說：「我們還帶來了西方的『花語』，

代表祝福你！」番紅花跟著說：

我代表——祝福；送朋友一盆聖誕紅就

「我代表——等待你。」

天竺葵說：「我代表——決心。」

「嗯，你們都很有

貢獻……」土地公有些猶豫：

「可是，名額限制是我爺爺的

爺爺的爺爺的……」

「規矩是人定的嘛。」

上帝眨眨眼睛。

「對嘛！」

每棵植物都用國語說：

「我們到的時間不一樣，

但是我們都愛臺灣！」

「真的？呃……」

土地公想了想，用力點點頭。

「好！不管是先來還是後到，

只要愛這片土地，大家都是一家人。

以後，大家都是臺灣的永久公民！」

「萬歲！萬歲！耶！」

「哦，對了！」土地公辦好移民手續，

微笑著說：「以後你們碰到問題，

可以直接去東方區找玉皇大帝，

不必再找上帝告洋狀了喔！」

誰是外來植物？

*外來植物的戶口名簿

值日生：土地公

我的名字	我的故鄉
鳳凰木	南洋群島
柚子	印度
黑板樹	印度、菲律賓
康乃馨	中歐、地中海
柚子	印度

閱讀和文字，文字和閱讀

兒童文學大師　林良

關心兒童閱讀，是關心兒童的「文字閱讀」。

培養兒童的閱讀能力，是培養兒童「閱讀文字」的能力。

希望兒童養成主動閱讀的習慣，是希望兒童養成主動「閱讀文字」的習慣。

希望兒童透過閱讀接受文學的薰陶，是希望兒童透過「文字閱讀」接受文學的薰陶。

閱讀和文字，文字和閱讀，是連在一起的。

這套書，代表鼓勵兒童的一種新思考。編者以童話故事，以插畫，以「類聚」的手法，吸引兒童去親近文字，了解文字，喜歡文字；並且邀請兒童文學作家撰稿，邀請畫家繪製插畫，邀請學者專家寫導讀，邀請教學經驗豐富的國小教師製作習題。這種重視趣味的精神以及認真的態度，等於是為兒童的文字學習撤走了「苦讀」的獨木橋，建造了另一座開闊平坦的大橋。

文字植物園

臺北市立健康國小老師　江艾謙

什麼是心情？它很難被一語道出，它就是一種感覺。

常常在公眾場合，發現年幼孩子表達情緒的方式比較直接、簡單，最常見的就是用又叫又跳表達高興，用哭表達生氣。但隨著年紀漸長，孩子會更細緻的區分情緒是有不同程度的，例如愉快和興奮便有程度上的差別；甚至一個事件隱含了各種情緒，例如被誤會時，除了受委屈之外，還會覺得生氣。文句中善用心情成語或比喻，能讓文章敘述更具體。

這本書透過故事裡幽默的對話，孩子一方面可以學著說出自己的心情，增進自我認識；另方面也可以與他人溝通心中的感覺，學習自在的面對人際間的喜怒哀樂。而溝通的前提就是要「具備相當的語言能力」。期待本書能帶領孩子學習用語言打開心扉。

植物不會說話、沒有表情，只是在大自然中悄悄的成長，它沒有動物跑、跳、飛、爬的豐富姿態，也少了競相爭鳴的聒噪聲音，在自然界生物中，似乎永遠是被動

的角色——隨風搖曳、因砍伐而逝去。這本書有趣的地方，就在於對話角色幾乎都是由花、草、樹、水果所扮演，他們詼諧逗趣的言談，似乎在「中國文字」中找到了生命力，饒富趣味的謎語也好、名號被盜用的慣用語也行，甚或隱藏於地名中的玄機，這些都讓植物活了起來。本書引發孩子產生對植物的興趣後，或許父母還可以陪著孩子，帶著植物圖鑑，穿梭在住家附近的巷道、徘徊於社區裡的生態公園，或走進充滿奧秘的大自然，一探究竟。

一、找出植物的特性，發現植物名隱藏在語詞中的意涵

植物會因外觀或生長特質，讓一般人產生刻板印象。比如「花」給人的形象是美麗的、色彩豐富的、亂的，因此孩子可以想像在「花花公子的花花事件」故事中，花樣年華、哭花了臉、花天酒地的意思。當然有許多慣用語，例如雪花、花燈、十八姑娘一朵花等，透過故事主角花花公子遭受一連串懲罰的經過，孩子也能順口道出跟花有關的名詞。同樣道理，在「植物要搬家」的故事裡，藉由植物的控訴與倉頡的善意辯解，孩子在角色的交互對話中，經由上下文閱讀理解，自然而然了解植物成語的意思。

二、玩味國語及母語中的諺語

「俗語」就是民間流傳的共同語言，透過俗語可以了解我們的文化，它也代表著

我們共同的價值觀。「小浮萍和世界爺」故事中的俗語，都隱藏在順口溜的對白裡，包含了國語（十句）及臺語（兩句）。既然是俗語，可見其中出現的植物，一定是平民老百姓生活中常見的（例如：菜瓜、薑、葫蘆、麻），在父母及老師的引導閱讀下，還能隱約體會前人的生活。當然在故事結尾，原本不被看好的小浮萍，最後卻克服萬難，和世界爺一起吹晚風、看夕陽。想想看，不同族群的和平共處，不也正是追求這樣的態度嗎？

三、練習植物的猜謎

中國人自古便愛玩「猜謎」遊戲，由元宵節猜燈謎活動的熱烈反應，便可知中國方塊字的魅力。只可惜，近年來燈謎會場上的盛況已不如從前，不知是社會的多元化分散了對燈謎的注意力，或是反映出對字形字義的不善於解讀。在「沙漠裡的春天」故事中，可以歸結出猜植物謎語的幾個思考方向：一、由植物外觀特性猜。二、由謎題正面字詞義（或反面字詞義）聯想。三、取諧音。四、由植物名的字形猜。孩子想像力豐富，猜謎可以做為茶餘飯後很好的親子遊戲。

四、讓植物在本土與國際間安身立命

臺灣特定名詞——例如月分名和地名，大多有其發展由來。農曆的每個月分皆有不同名字，它與中國農業有很大的關係，農曆二到九月都是以植物來表示（二月是

杏月，三月是桃月⋯⋯八月是桂月，九月是菊月）；此外，植物也悄悄溜進台灣地名裡。在「福爾摩斯新探案」故事中，警察卓布道（捉不到）因為透過種種植物線索而成功破案，所以改名為卓得道（捉得到）。喜歡偵探小說的孩子，一定會對這篇故事充滿興趣。另外「誰是外來植物」故事中，透過西方之神上帝，與臺灣境管局官員土地公的越洋連線，關懷這群名字中有「胡、番、洋、昭和」字眼的外來品種，讓他們實實在在的在臺灣落地深耕，這樣的精神，正是目前臺灣面對「新移民」人口應有的尊重與接納。

五、歡迎⋯⋯植物演員出場！

怎樣讓植物擬人化呢？在「植物桃花源」這齣戲碼裡，每種植物都以千姿百態的方式出場，而他們的名字和動作有很深的關係喔！

「迎客」松──走　「雀」榕──飛

「鳳凰」木──飛　「人」參──站

「觀音」石──雙手合十

「太陽」花──眨眼睛

很有趣吧！老師可以邀請孩子們扮演這些角色，讓他們練習以符合身分的姿態踏進教室舞台。

77

林世仁

我叫林世仁。

「林」是會意字，意思是樹林。我的老祖宗是在長林石室裡出生的，所以取林為姓。

「世」的古字是「葉」的同義字，我們現在使用的是它的引申義。人的一生叫「一世」，「世」也有「世代」的意思。

「仁」是會意字，指的是人與人之間相處的關係，有親善、仁愛的意思。一部《論語》基本上都是在闡述「仁」的意涵。

「林世仁」合在一起，就成為我在人生中的代號——名字。「世」在我的名字中還代表「輩份」，跟我同輩的堂兄弟，名字裡都有「世」字。

漢字以簡御繁，只需三千多字便能應付日常所需，但也因此出現許多諧音字。「世仁」的諧音就不少，彷彿寓示了我的一生：首先我生而「是人」（多麼幸運！），是這世界上的「世人」（而且神愛世人），而我也真的寫

起詩來，有些「詩人」個性。我從小就瘦，瘦得有幾分「天將降大任於『

斯人』也」的味道（只是從沒碰上什麼神聖奇遇）；而有朝一日，我將走

完人生的旅程，成為「死人」。由生到死，我的名字說完了我的一生。名

字也是父母對我的期許，我希望自己對人對事，都能常懷仁心。

除了這一套書，我寫過的書還有：童話《十四個窗口》、《十一個小

紅帽》、《再見小童》、《和世界一塊兒長大》、《高樓上的小捕手》；童

詩《我家住在大海邊》、《地球花園》、《宇宙呼啦圈》、圖象詩《文字

森林海》、圖畫書《蚱蜢的英文信》等。

國家圖書館出版品預行編目(CIP)資料

福爾摩斯新探案：文字植物園/林世仁文；卓
昆峰, Mr. B, PiPi圖. -- 第三版. -- 臺北市：親
子天下股份有限公司, 2021.06
84面；17×21公分. -- (字的童話系列；6)
注音版
ISBN 978-957-503-997-4(平裝)

863.596   110005454

字的童話系列 06

福爾摩斯新探案

作者｜林世仁

繪者｜卓昆峰、Mr. B、PiPi

責任編輯｜蔡忠琦、李寧紜
美術編輯｜郭惠芳、蕭雅慧

天下雜誌群創辦人｜殷允芃
董事長兼執行長｜何琦瑜
媒體暨產品事業群
總經理｜游玉雪
副總經理｜林彥傑
總編輯｜林欣靜
行銷總監｜林育菁
資深主編｜蔡忠琦
版權主任｜何晨瑋、黃微真

出版者｜親子天下股份有限公司
地址｜台北市 104 建國北路一段 96 號 4 樓
電話｜（02）2509-2800 傳真｜（02）2509-2462
網址｜ www.parenting.com.tw
讀者服務專線｜（02）2662-0332 週一～週五：09:00~17:30
讀者服務傳真｜（02）2662-6048
客服信箱｜ parenting@cw.com.tw
法律顧問｜台英國際商務法律事務所，羅明通律師
製版印刷｜中原造像股份有限公司
總經銷｜大和圖書有限公司 電話：（02）8990-2588

出版日期｜ 2005 年 12 月第一版第一次印行
2021 年 6 月第三版第一次印行
2023 年 9 月第三版第五次印行
定 價｜ 2600 元。全套共 7 本讀本、7 片有聲故事 CD，並加贈親子活動讀本 1 本（不分售）
書 號｜ BKKCA006P
I S B N ｜ 978-957-503-997-4（平裝）

─────────────────────── 訂購服務
親子天下 Shopping ｜ shopping.parenting.com.tw
海外 ‧ 大量訂購｜ parenting@cw.com.tw
書香花園｜台北市建國北路二段 6 巷 11 號 電話（02）2506-1635
劃撥帳號｜ 50331356 親子天下股份有限公司

立即購買 >